Beatrice Masini

Agathe et les miroirs menteurs

Cet ouvrage a initialement paru en langue italienne en 2010
sous le titre *Agata e gli specchi bugiardi*.
© 2010, Edizioni EL S.r.l., Trieste Italy.

© Hachette Livre 2012 pour la présente édition.

Traduction : Maria Grazzini

Illustrations : Desideria Guicciardini

Mise en page : Audrey Thierry

Hachette Livre, 43 quai de Grenelle, 75015 Paris

Beatrice Masini

BELLE INTELLIGENTE ET COURAGEUSE

Agathe et les miroirs menteurs

hachette JEUNESSE

Belle, intelligente et courageuse ? Mais oui, c'est Agathe !

J'ai toujours été une aventurière. Il paraît
que mon premier mot a été « je ». Mais vu
ce qui s'est passé ensuite, tout le monde est
sûr que je voulais dire « voyage »... Moi,
je ne m'en souviens pas, je n'avais que neuf
mois ! Mais ce dont je suis certaine, c'est
que ma maison – qui est pourtant un
château – m'a toujours paru trop petite...

Chapitre premier

Dans lequel il se passe
beaucoup de choses,
peut-être même un peu trop
pour une petite princesse

Agathe est une jeune princesse, et elle a un gros problème.

Mais cette histoire commence
bien avant et, qui plus est, par
une question qui n'a rien à voir
avec Agathe. Il faut l'expliquer
aux lecteurs, sinon, ils vont pen-

ser que l'auteur a perdu la tête…
Pourquoi mettre Agathe dans le titre et commencer par ne pas parler d'elle du tout ? C'est étonnant, effectivement ! Mais tout s'explique, comme on va bientôt le voir…

Le problème d'Agathe, c'est sa maman. La reine Olga est la plus belle reine du monde, et elle le sait. Elle cultive sa beauté comme on cultive un jardin : de mille et une façons. Tous ses vêtements sont verts ou bleu azur : les couleurs qui lui vont le mieux. Les crèmes qu'elle utilise viennent de pays lointains. Elle évite d'être trop triste ou trop gaie : elle ne veut surtout pas que son visage soit marqué par de vilaines rides d'expression !

Bref, la reine est à tel point obsédée par sa beauté qu'elle en oublierait presque qu'elle a une fille. Agathe, elle, admire sa maman et adore la regarder… Mais elle sait bien que pour les jeux ou les grosses colères, il vaut mieux aller voir la nounou ou les dames de compagnie. Elle trouve ça normal. Nous, nous sommes un peu tristes pour Agathe, mais Agathe, elle, ne se

rend pas compte : après tout, Olga est la seule maman qu'elle connaisse.

Dans la vie, il y a toujours des jaloux...

Et justement, la sorcière du royaume en a par-dessus la tête d'entendre parler de la reine et de sa fameuse beauté. D'autant qu'elle n'est jamais invitée à la cour, sous prétexte qu'elle ferait fuir les invités.

Elle regarde dans le miroir son nez bossu et sa peau flétrie.

— J'aimerais bien savoir ce qu'elle a de plus que moi...

— Pas mal de choses, crrrois-moi ! croasse son corbeau domestique.

La sorcière lui jette une chaussure, puis une pomme de terre, et enfin tout ce qui est à portée de main... sans réussir à le toucher ! Il faut dire qu'elle est myope, mais qu'elle refuse de porter des lunettes…

— Moi aussi, j'ai quelque chose qu'elle n'a pas ! s'exclame-t-elle soudain. La magie !

Elle se met à feuilleter son grand livre de sorcellerie. Elle vient d'avoir une idée qui donnera une bonne leçon à cette reine prétentieuse. Un sortilège qui fait mentir les miroirs : voilà ce qu'il lui faut et voilà la formule !

Elle mélange les ingrédients nécessaires dans son chaudron, puis prononce la formule magique :

Dans ton reflet, ô miroir,
Celui qui était beau vilain deviendra
Et celui qui était laid te fascinera.

À ces mots, son miroir se couvre de fumée. Elle cligne des yeux, puis s'observe. Envolés la peau flétrie et le nez bossu : elle est magnifique ! Enfin… elle se voit

magnifique. Et on sait tous que si on se sent beau, tout devient plus facile.

Impatiente de voir l'effet de son sort sur la reine, la sorcière enfile un manteau qui la rend invisible, enfourche son balai, et vole vers le château.

Elle arrive juste à temps au palais royal. La reine Olga est en train de se faire coiffer. Elle pousse un cri à chaque fois que le coiffeur lui tire les cheveux. Mais elle ne renonce pas. « On dit qu'il faut souffrir pour être belle ! » se rappelle-t-elle.

— *Kof, Kof !*

Elle se met à tousser quand la fumée du sortilège recouvre son miroir.

— Mais que se passe-t-il ? Que quelqu'un chasse cette fumée, mon mascara va couler !

Ses serviteurs accourent, armés de grands éventails pour dissiper la fumée.

Mais quand la reine se regarde de nouveau dans son miroir, elle pousse un cri et s'évanouit ! La sorcière ricane et s'enfuit par la fenêtre. Mission accomplie !

Les dames de compagnie de la reine s'efforcent de la ranimer. Olga ouvre les yeux, se regarde

dans le miroir et… tombe de nouveau dans les pommes !

— Mais que se passe-t-il ? demande une des dames de compagnie.

Elle se place devant le miroir et en reste bouche bée : ce qu'elle voit, ce n'est pas elle ! Ou mieux : c'est bien elle… mais en plus gracieuse. Elle n'a jamais été laide, mais elle a toujours un air sévère. Maintenant, le miroir lui renvoie une image souriante !

— Essayez, vous aussi ! propose-t-elle à ses camarades.

Curieuses, les dames de compagnie se regroupent autour du

miroir et poussent des cris de surprise ou de joie. Certaines, les plus jolies, sont contrariées, car pour la première fois de leur vie elles se voient laides !

— Mais tout ça, c'est faux ! s'exclame la première dame de compagnie. Regardez-vous les unes les autres : nous sommes toujours les mêmes, rien n'a changé !

Les jeunes filles s'observent mutuellement. C'est vrai : rien n'a changé. C'est comme un jeu, une bizarrerie du miroir, et tout le monde finit par en rire.

La seule qui n'a pas la moindre envie de rire, c'est la reine.

Elle a retrouvé ses esprits et se relève, pour regarder une nouvelle fois son reflet dans la glace… Ce qu'elle voit lui fait horreur : un nez trop long, des cheveux ternes, des joues creuses, de petits yeux trop rapprochés, des épaules tombantes, une silhouette épaisse. Un monstre !

Elle pousse un second hurlement. Toutes les demoiselles de sa suite volent à son secours. La première demoiselle, celle qui a découvert le jeu du miroir, s'efforce d'expliquer à la souveraine que sa beauté est intacte, que ce n'est qu'une blague du miroir.

Rien à faire, la reine Olga ne la croit pas. Elle ne croit même pas le roi Adolfo, qui s'est précipité en entendant les hurlements de sa femme.

— Tu mens ! s'exclame-t-elle. Vous mentez tous !

— Ma chérie, reprend le roi, ce sont les miroirs qui mentent. C'est sans doute une plaisanterie de magicien débutant. Je suis sûr que d'ici peu tout redeviendra normal…

— Normal comment ? hurle la reine. Je suis un monstre, et JE NE PEUX PAS être un monstre !

Rien ne peut consoler la reine.

Agathe, qui est présente, a observé toute la scène. Elle se place à son tour devant le miroir pour se regarder… et éclate de rire ! Elle a un visage tout rond et

des joues rouges. Elle ressemble à un petit clown ! Mais elle fait confiance à son père, qui est le roi et qui a donc toujours raison : tout ça, ce n'est qu'un mensonge du miroir.

La reine Olga, elle, continue à sangloter.

— Mais maman, murmure Agathe, tu es toujours la plus belle…

Chapitre deux

Dans lequel Agathe décide d'arranger les choses

Bientôt, tout le royaume finit par trouver les miroirs menteurs très drôles. Ils rendent laids ceux qui sont beaux et beaux ceux qui sont laids : ce n'est pas si mal, au fond !

Pour la première fois, celui qui a toujours souffert de son physique ingrat se sent réconforté par l'image que le miroir lui renvoie : il se voit enfin comme il a toujours rêvé d'être. Du coup, il est plus sûr de lui, moins timide. Il se sent un peu plus beau… ou, au moins, un peu plus courageux !

À l'inverse, celui qui a toujours été très fier de son physique, hausse les épaules et tire la langue au miroir farceur : il sait que ce n'est qu'une image. Pourtant, tout bien réfléchi, il se dit qu'avoir une tête étrange ou un peu ridicule, peut être un vrai problème, parfois... Du coup, il comprend mieux ceux qui ont moins de chance que lui, et il se montre plus gentil.

La reine est la seule qui n'apprécie pas du tout la plaisanterie, pour la simple et bonne raison que l'image que lui renvoie son miroir est la seule qui compte à ses yeux.

C'est à ce moment de l'histoire qu'Agathe entre en scène. On voit que l'héroïne du récit n'est pas forcément celle qui fait le plus de bruit, mais celle qui fait la chose la plus importante. Et que fait Agathe ?

Sans rien dire à personne, elle quitte le château dès le lendemain, à la recherche d'un miroir sincère, pour que sa maman retrouve le sourire et la joie de vivre.

Elle part de bon matin. Personne ne s'en aperçoit, car tous sont occupés à consoler la reine. Pour voyager, elle emprunte les bottes du jardinier : elles sont un peu grandes, mais tant pis... On ne peut tout de même pas prendre la route avec des ballerines de soie brodée ! Ensuite, elle s'enveloppe d'une grande cape de voyage et

26

cache sa petite couronne sous la capuche. Elle glisse des provisions dans un petit sac à dos – du pain, de la viande séchée et des bâtonnets de sucre –, quelques pièces de monnaie, cadeau de l'ambassadeur d'un pays voisin, une boussole, un cerf-volant, sa poupée Mina et une petite bourse contenant des agates – des pierres vertes semi-précieuses que sa marraine lui a offertes. Le vert est sa couleur porte-bonheur et c'est aussi la couleur de ses yeux : sa marraine dit toujours qu'ils dégagent une énergie positive.

Pour finir, Agathe se faufile dans les écuries pour aller chercher Ombre, son poney. Elle l'appâte avec un morceau de sucre, laisse la porte du box entrouverte, émiette des friandises jusqu'au pont-levis, puis, plus loin encore, hors du château, sur le chemin qui serpente dans la vaste plaine. Agathe n'a pas longtemps à attendre : gourmand comme il est, Ombre la rejoint vite.

Et maintenant : hop, en selle !

Agathe n'a pas vraiment de plan en tête. Elle sait qu'elle doit trouver un miroir sincère pour sa maman, mais où et comment ?

En attendant d'avoir une idée, le temps passe, et Agathe s'aperçoit vite que ses provisions ne dureront pas longtemps. Elle n'a déjà plus de bâtonnets de sucre ! Elle soupire en léchant les dernières miettes sur ses doigts.

— Tu as de la chance, Ombre, dit-elle à son poney, qui profite d'une halte pour brouter paisiblement. Tu ne te demandes jamais comment te remplir l'estomac…

Agathe entre ensuite dans une boulangerie et demande une baguette contre une de ses

jolies pièces. Après avoir observé
celle-ci sous toutes les coutures,
la boulangère la lui rend :

— Désolée, mais je ne connais pas cette monnaie-là.

— C'est un cadeau de l'ambassadeur de Portugalie, répond Agathe.

— Je ne le connais pas, réplique la commerçante. Ici, on paie en écus, en nickelins et en nullards. Une baguette coûte un nullard. Où as-tu vécu jusqu'à aujourd'hui ? Dans un château ?

— Exactement…, murmure Agathe, déconcertée.

Mais la boulangère ne l'écoute pas : elle est déjà en train de s'occuper de la cliente suivante. La jeune princesse regarde les fameux nullards : ce sont de petites pièces sans intérêt, beaucoup moins impressionnantes que ses pièces en platine !

C'est la première leçon qu'Agathe apprend de la vraie vie : ce qui a de la valeur pour les uns n'en a pas forcément pour les autres ! Et en attendant, son estomac crie famine... Que faire ?

Pendant ses longues journées solitaires au palais, Agathe a appris à monter Ombre de toutes les manières possibles... même debout sur son dos, et sur une seule jambe !

33

Ni une ni deux, elle enlève ses grosses bottes, chausse ses ballerines de soie et, après avoir sauté à pieds joints sur le dos de son poney, la voilà en train de faire le tour de la place comme une vraie artiste de cirque.

Très vite, des curieux se réunissent autour d'elle. Encouragée, Agathe poursuit son numéro sur une seule jambe, pendant que sa fidèle monture continue de trotiner d'un pas régulier.

Les enfants applaudissent. Agathe sourit aimablement à la ronde comme le font les danseuses professionnelles qu'elle

a vues à la cour. Certains spectateurs – peu nombreux – lui lancent une piécette et elle les remercie d'une révérence gracieuse.

— Un, deux, trois, quatre nullards ! compte Agathe.

Avec ces quelques sous, elle peut s'offrir un repas à l'auberge du village : du pain, un morceau de poulet et un pot de miel. Agathe n'a jamais rien goûté d'aussi bon, pas même lors des repas de fête du palais. Ce repas qu'elle a payé elle-même a bien meilleur goût que tous ceux qu'elle a faits au château !

Mais Agathe n'oublie pas qu'elle a une mission à accomplir : elle doit trouver un miroir sincère pour sa maman, et pour l'instant, elle ne sait pas par où commencer ses recherches...

« Et si je demandais à l'aubergiste ? » Après avoir écouté son récit, ce bon monsieur reste silencieux un moment. Il se gratte le ventre, puis la tête…

— D'après moi, finit-il par répondre, ce qu'il te faut, c'est le Miroir Magique. Il dit toujours la vérité, le malheureux… C'est pourquoi, un jour, son ancienne maîtresse, la méchante reine, s'est fâchée et l'a brisé en mille morceaux. Il a réussi à se recoller – c'est un miroir magique, après tout ! – et a fini au musée des Contes de Fées.

— Où est-il, ce musée ? s'exclame Agathe, pleine d'espoir.

— Oh ! Il te suffit d'aller par ici, puis par là, et enfin tout au bout à gauche. Pour finir, tu tourneras trois fois à droite après le rond-point et tu seras arrivée !

— Merci beaucoup ! dit Agathe en prenant la route.

Après s'être perdue plusieurs fois, Agathe arrive enfin à destination. Le musée n'est qu'une

simple cabane au milieu de la forêt.

— Nous avons très peu de visiteurs, explique le nain installé au guichet à l'entrée, en lui donnant son ticket. Je ne comprends pas pourquoi...

Agathe, en revanche, le comprend très vite : les objets magiques réunis dans les salles sont vieux et endommagés. La chaussure de Cendrillon n'a plus de talon, le tapis d'Aladin est rongé par les mites... Ce ne sont plus que des choses tristes et poussiéreuses : qui pourrait bien s'intéresser à elles ?

Comme Agathe est le seul visiteur du musée, elle prend son temps pour examiner tous les objets.

Elle ne tarde pas à trouver le Miroir Magique. Une longue fissure le traverse de haut en bas. Agathe se rappelle bien son histoire. Chouchou de la méchante reine tant qu'elle était la plus belle femme du monde, il est tombé en disgrâce le jour où il lui a annoncé que Blanche-Neige était encore plus belle qu'elle.

Folle de rage, la méchante reine l'a brisé en mille morceaux.

Aujourd'hui, le miroir a l'air malade. Sa moue est triste, ses paupières sont lourdes : on dirait qu'il dort…

— *Pssst !* fait Agathe tout doucement pour le réveiller.

Le miroir ouvre les yeux si soudainement qu'Agathe ne peut pas s'empêcher de faire un bond en arrière.

— Qu'attends-tu de moi, pauvre vieux miroir ? Une si jolie jeune fille, toute seule au milieu de la forêt…

— J'aimerais savoir…, hésite

Agathe un peu intimidée, si tu peux aider ma maman.

Et elle lui raconte ce qui s'est passé au palais.

— Mais bien sûr que je peux l'aider ! répond le miroir. Je suis certain que c'est la plus belle reine du monde, tout comme toi, tu es la plus jolie princesse de la Terre. Telle mère, telle fille ! Je t'en prie, sors-moi d'ici ! Je dirai tout ce que tu veux…, supplie le miroir.

Soudain, il éclate en sanglots.

— Je ferais n'importe quoi pour quitter cet endroit !

Agathe est triste de le voir

si malheureux, mais quelque chose lui dit qu'il vaut mieux se méfier de ses flatteries… Comment pourrait-il savoir que sa maman est la plus belle du monde ? Et elle, Agathe, qu'est-ce qui lui permet de dire qu'elle est la plus jolie des princesses ? Du temps où les miroirs disaient la vérité, elle s'y regardait souvent : certes, elle a de jolies boucles rousses et un gracieux nez retroussé, mais elle est loin d'être la plus jolie de toutes les princesses de la Terre !

— Tu ne dis pas la vérité. Il me faut un miroir sincère.

— Tu oses me traiter de menteur ! s'exclame-t-il furieux.

Puis il poursuit d'une toute petite voix :

— Le problème, c'est que… tu as raison. Depuis que la méchante reine m'a frappé en plein cœur, je n'arrive plus à dire la vérité… J'ai compris qu'il valait mieux mentir… Voilà, je l'ai dit ! Et maintenant, tu me laisseras moisir ici, dans cet endroit horrible où il ne se passe jamais rien !

Agathe a le cœur serré.

— C'est vrai, lui dit-elle. Je ne peux pas t'emporter avec moi, maintenant. J'ai une mission à accomplir. Mais je te promets qu'un jour je viendrai te chercher et que je t'amènerai au château !

— Jure-le ! s'exclame le miroir, suppliant.

— Croix de bois, croix de fer, si je mens, je vais en enfer !

Agathe quitte le musée et reprend la route, toujours à la recherche d'un miroir sincère.

En chemin, Agathe et Ombre gagnent leur vie avec leur petit numéro de cirque qu'ils exécutent dans les villages. Les spectateurs donnent toujours quelques nullards, les plus généreux offrent même un nickelin. S'acheter à manger n'est plus un problème. Le problème – le vrai ! – reste de trouver un miroir sincère…

— Tu devrais demander à Merlin l'enchanteur, lui dit un matin une vieille dame à qui Agathe a raconté toute son histoire.

— Où habite-t-il ? demande-t-elle.

— Pas loin d'ici, au cœur de la forêt. En revanche, la prévient la vieille dame, sache qu'il est… Comment dirais-je ? Un peu spécial.

— Spécial comment ? insiste la fillette, curieuse.

— Disons que ce n'est pas un magicien comme les autres, poursuit la vieille dame. Il ne fait que de la magie blanche, celle qui fait du bien aux gens, conclut-elle d'un air mystérieux.

Agathe se met en route. Au détour d'un sentier, un panneau indique « Magie appliquée », et, juste en dessous, « par ici ». Confiante, Agathe prend la direction indiquée. Le chemin la conduit dans une clairière où se dresse une maisonnette peinte en vert pâle.

TOC, TOC !

— Entrez, répond une voix grave.

Agathe obéit.

À l'intérieur, tout est parfaitement propre, rangé, parfumé. Plus qu'à l'antre d'un magicien, ça ressemble à la cuisine d'un grand chef ! Et, en effet, Merlin, qui porte un grand tablier sur sa longue robe étoilée, semble occupé à préparer un bon gâteau plutôt qu'un sortilège…

— J'ai presque fini, lui dit-il. En attendant, installe-toi, prends quelques bonbons, et raconte-moi ce qui t'amène.

Agathe ne se fait pas prier car les bonbons ont l'air délicieux ! Confortablement installée dans un joli fauteuil bleu ciel, elle raconte d'une traite son histoire.

— ... et puis j'ai entendu parler de vous, et me voilà ! conclut-elle. J'espère que vous pourrez m'aider. Malheureusement, je n'ai pas d'argent..., poursuit la jeune princesse. Voici ce que j'ai de plus précieux, dit-elle en montrant ses jolies pierres vertes. Je veux bien vous les donner, si vous m'aidez à trouver un miroir sincère pour ma maman.

— Des agates..., marmonne

le magicien, caressant les pierres d'une main. Force et courage… une grande capacité d'écoute… un esprit vif et un talent pour repérer les sortilèges. Ces pierres te ressemblent, tu sais ? poursuit-il en s'adressant à la fillette. Ta maman doit être fière de toi !

— À vrai dire… je ne sais pas, répond la jeune princesse, intimidée. Ma maman n'a pas beaucoup de temps à me consacrer, vous savez. Elle est si belle, elle a tant d'occupations… Je ne suis même pas sûre qu'elle se soit aperçue de mon départ !

Mais Agathe a tort, comme

nous allons le voir en nous ren-
dant au château…

Chapitre trois

Dans lequel on voit que certaines choses ont changé au château

Au palais, la vie de la reine n'est plus la même. Ne pouvant plus passer son temps devant le miroir qui lui renvoie désormais une image qui lui fait horreur, elle a ordonné que toutes les glaces du royaume soient recouvertes d'un drap noir. Du coup, elle a beaucoup de temps libre. Pour la première fois de sa vie, Olga regarde autour d'elle et constate que certaines choses ne vont pas au château. Pour commencer, il n'a pas été rénové depuis de longues années et le mobilier est couvert de poussière. Qu'à cela ne tienne ! Elle ordonne la restauration de la demeure royale et fait astiquer le moindre recoin.

Ensuite, la reine part explorer les alentours. La région est très belle et chaque jour, à bord de sa calèche, Olga découvre de nouveaux paysages.

— C'est tout de même incroyable ! s'exclame-t-elle un jour, fascinée par le coucher de soleil qu'elle contemple du haut d'une colline. J'étais si occupée à me regarder dans le miroir que je ne m'étais même pas aperçue qu'il y avait autant de merveilles dans le monde !

Et enfin, un jour…

—Je n'ai pas vu ma fille depuis un moment. Pourriez-vous me l'amener ?

Aussitôt, c'est la panique. Quand Agathe a disparu, le roi a interdit que la reine soit mise au courant – elle était déjà bien trop bouleversée. Le roi a donc décidé de mener les recherches dans la plus grande discrétion.

La reine est atterrée. Elle hurle et se désespère, puis se renferme dans un silence douloureux. Elle ne mange plus, elle ne dort plus. Elle pleure toutes les larmes de son corps.

Puis, finalement, elle se décide à faire la seule chose utile : partir avec le roi à la recherche de leur fille !

Chapitre quatre

Dans lequel Agathe découvre
le miroir de l'âme et
poursuit sa quête

Mais retournons voir Agathe, qui prend le thé chez Merlin le magicien. Ce dernier est en train d'observer les agates que la jeune princesse lui offre en échange de son aide.

— C'est gentil, Agathe, la

remercie l'enchanteur, mais tu n'as pas à me payer. Je ne peux t'offrir que des conseils, et ils sont gratuits. Tu sais, j'ai arrêté mes activités de magicien. De nos jours, plus personne ne croit en la magie…

— Ah bon ? réplique Agathe, déçue. Pourtant, la vieille dame qui m'a parlé de vous m'a dit que vous faisiez de la magie blanche…

— C'est ce qu'elle t'a dit ? demande Merlin, avec un petit rire. Elle n'a pas tort, au fond ! Désormais, je me consacre à la cuisine, et pour être un grand cuisinier, il faut être un peu magicien, n'est-ce pas ? Tiens, regarde ce gâteau, par exemple : il est pour toi, tu pourras l'emporter. C'est tout ce que j'ai à te donner, jeune princesse. Ça et un conseil : suis ton cœur, et tu trouveras le bon chemin.

— On dirait une devinette ! répond Agathe, un peu contrariée. Vous ne pouvez donc pas m'aider ?

Pour toute réponse, Merlin prend un miroir et le tend à la fillette. Agathe sursaute : s'agit-il du miroir sincère qu'elle cherche depuis si longtemps ?

Elle se penche pour le prendre, mais le magicien fait « non » de la tête.

— Regarde-toi. Regarde tes yeux. Voilà le miroir le plus sincère que tu puisses trouver, celui qui révèle ce qui se cache dans ton cœur. Tes yeux brillent comme des agates, et ce que j'y vois, c'est la passion et un désir immense d'aider ta maman. Si elle se regardait dans tes yeux, elle se verrait enfin telle qu'elle est : une maman qui a beaucoup de chance !

— Elle ne me regarde pas souvent, murmure Agathe.

— Elle ne sait pas ce qu'elle manque ! Mais tu ne dois pas t'inquiéter. Tu sauras l'aider même sans magie, j'en suis certain. Et maintenant, excuse-moi, il est temps que je sorte mon gâteau du four !

Ensemble, Agathe et Merlin le goûtent : il est délicieux ! Puis le magicien l'enveloppe dans une serviette et l'offre à Agathe pour la suite de son voyage.

Même sans formules magiques, les mots de Merlin ont redonné du courage à Agathe. Elle ignore encore sa destination, mais quelque chose lui dit que, tôt ou tard, elle arrivera à résoudre le problème de sa maman !

Chapitre cinq

Dans lequel
Agathe trouve peut-être
ce qu'elle cherche

Un peu plus tard, Agathe rencontre une autre vieille dame, qui lui parle du Miroir du Ciel.

— On dit qu'il est tout là-haut, entre les sommets des Quatrins, lui dit-elle, indiquant des montagnes à l'horizon. C'est peut-être celui-là, le miroir qu'il faudrait à ta maman…

Agathe éperonne son poney et part au galop dans la direction indiquée. Malheureusement, quand on regarde les montagnes, on croirait pouvoir les toucher, mais pour les atteindre c'est une autre affaire !

La fillette galope vaillamment durant des jours et des jours. Quand elle entreprend enfin la montée la plus raide, elle doit quitter Ombre qui ne peut pas la conduire plus loin.

Elle sort de son sac un cerf-volant en forme de libellule, s'y attache solidement, puis attend qu'un souffle de vent l'emporte au sommet de la montagne. De là-haut, elle aperçoit enfin le Miroir du Ciel.

C'est un petit lac de montagne, entouré de rochers. À l'abri du vent, ses eaux sont immobiles. Le Miroir du Ciel est tout simplement parfait. Agathe atterrit adroitement, s'approche du miroir d'eau et tend le cou pour s'y regarder. L'image qu'elle y voit est bien celle de son visage ! Elle reconnaît son petit nez, ses joues rondes et ses taches de rousseur.

— Enfin un miroir sincère ! soupire-t-elle, soulagée.

Pressée de rentrer au château, Agathe remplit sa gourde d'eau du lac et s'envole de nouveau avec son cerf-volant.

Un peu plus bas sur le sentier, Ombre l'attend fidèlement. Maintenant qu'elle a trouvé ce qu'elle cherchait, la jeune princesse n'a plus qu'à consulter sa boussole pour rentrer au palais par le chemin le plus court.

Elle se met aussitôt en route, fière du précieux butin qu'elle rapporte.

Ce qu'elle ignore, c'est que la

route la plus courte traverse un désert. Et elle ne sait pas non plus – car les princesses n'étudient pas la géographie – que dans les déserts, il n'y a ni arbres ni végétation d'aucune sorte. Ni la moindre goutte d'eau…

Dans ces conditions, le risque est grand de mourir de soif.

« Ce serait trop bête, se dit Agathe, juste quand je viens de trouver un miroir sincère pour ma maman ! » Alors elle mouille ses lèvres de quelques gouttes d'eau du lac, avant d'en offrir une petite gorgée à son fidèle poney.

Tout au long de leur périlleux voyage de retour, l'eau du Miroir du Ciel reste fraîche et leur donne l'énergie pour avancer. C'est ainsi qu'une petite gorgée après l'autre, Agathe et Ombre traversent le désert.

Chapitre six

Dans lequel
Agathe et sa maman
se retrouvent enfin...

Pendant ce temps, la reine et le roi galopent à bride abattue, à la recherche de leur fille disparue. Et comme, parfois, le hasard fait bien les choses, le couple royal emprunte justement le même chemin qu'Agathe, mais dans l'autre sens.

C'est donc naturellement sur ce chemin qu'Agathe et sa maman se retrouvent ! Elles sont toutes deux épuisées et poussiéreuses, mais ravies d'avoir réussi leurs missions : aider sa maman pour l'une et retrouver sa fille pour l'autre.

Elles se jettent dans les bras l'une de l'autre, s'embrassent, puis se serrent encore plus fort. Elles se regardent au fond des yeux, se comprennent sans paroles. Le roi est ému : il observe la scène, le cœur débordant de bonheur.

Agathe est la première à retrouver ses esprits.

— Maman ! s'exclame-t-elle, en prenant sa gourde, j'ai un cadeau pour toi. Vite, donnez-moi un bol !

Une dame de compagnie apporte aussitôt un petit plateau d'or incrusté de pierres précieuses. (Les reines voyagent toujours avec plein de choses inutiles.) Agathe débouche sa gourde, la retourne, mais... seules quelques gouttes s'échappent. Pas assez pour faire un nouveau Miroir du Ciel !

— Oh non ! C'est ma faute ! s'écrie Agathe. J'ai tout bu ! Il faisait trop chaud dans le désert. Ombre, aussi, mourait de soif... Mais je connais le chemin, maintenant ! C'est facile d'y arriver avec mon cerf-volant... On va y retourner tout de suite ! Il faut que tu voies le Miroir du Ciel, il te montrera ce que tu es vraiment : la plus belle !

La reine est très inquiète.

— Appelez un médecin, vite ! ordonne-t-elle. Elle délire, elle a de la fièvre !

— Attends, Olga, intervient le roi. Écoutons-la. Je crois que notre fille a quelque chose à nous dire.

Il poursuit en s'adressant à Agathe :

— Et toi, ma chérie, raconte-nous tout depuis le début. Calmement, nous avons tout notre temps. Nous t'écoutons.

Agathe raconte son voyage dans le moindre détail : de sa rencontre avec le Miroir Magique à celle avec Merlin, des mots du magicien à ceux de la vieille dame qui lui a indiqué le chemin du Miroir du Ciel. Et tout le monde l'écoute, fasciné, comme si elle racontait un véritable conte de fées.

La reine, elle, n'entend pas qu'un récit d'aventures. Pour la première fois de sa vie, elle prend conscience du temps qu'elle a gâché à se regarder dans les miroirs. Pour la première fois de sa vie, elle comprend qu'elle ne sera jamais aussi belle que dans le regard de sa fille. Sa fille chérie qui a affronté tant de dangers par amour pour elle !

Il lui suffit de plonger ses yeux dans ceux d'Agathe pour se voir telle qu'elle est vraiment : une maman tendrement aimée.

Cet instant suffit à ce que la reine Olga oublie les miroirs et leurs mensonges. D'ailleurs, avec le temps, le sortilège disparaît, et comme la vieille sorcière est trop occupée à jeter de nouveaux sortilèges un peu partout, elle oublie de le renouveler.

Petit à petit, les miroirs recommencent donc à dire la vérité. Mais de toute façon, la reine Olga a compris qu'il y avait bien mieux à faire que de se regarder dans un miroir... Passer du temps avec sa fille, par exemple. Ou avec le roi. Ou encore explorer le royaume, un endroit magnifique, qu'on le découvre de ses propres yeux ou dans le regard de ceux qu'on aime…

Conclusion

Agathe n'a pas oublié la promesse qu'elle a faite un jour, du temps où elle cherchait encore un miroir sincère pour sa maman.

Accompagnée par ses parents, Agathe retourne au musée des Contes de Fées, pour libérer le Miroir Magique. La reine trouve les objets magiques très intéressants, et quand Agathe la supplie de tous les emporter, elle décide de transférer au château le musée tout entier !

Le nain au guichet reçoit un uniforme flambant neuf. Les

nouveaux locaux, aménagés avec soin, attirent les visiteurs, et le musée devient vite l'un des endroits les plus visités du royaume.

Dans la salle centrale, une cloche de cristal trône sur un piédestal. Elle protège un petit plateau d'or incrusté de pierres précieuses. Il contient toujours les quelques gouttes d'eau du Miroir du Ciel rapportées par Agathe. Certes, la surface réfléchissante est trop petite pour s'y voir tout entier, mais si on penche la tête au-dessus, on peut y regarder une image parfaitement nette et précise de la réalité.

Une pancarte raconte le long périple affronté par une fillette par amour pour sa maman. C'est le récit fidèle du voyage d'Agathe. On dirait un conte de fées. Et peut-être que c'en est un !

FIN

Retrouve bientôt une nouvelle héroïne
dans Belle Intelligente et Courageuse 2 :
Menthe aux grands pieds

Menthe a huit ans et une particularité :
de grands, *très* grands pieds. Pas pratique pour la danse,
c'est vrai... Mais quand ses parents décident de lui
faire raccourcir les pieds, Menthe préfère fuir.
Et elle découvre vite que ses pieds hors du
commun peuvent lui être très utiles !

**Pour connaître la date de parution de ce tome,
inscris-toi à la newsletter du site :
www.bibliotheque-rose.com**

Les Sisters
LES SŒURS LES PLUS DÉLIRANTES DE LA BD !
Cazenove
William
Les Sisters
6 : Un Namour de Sister
BAMBOO
TOME 6 DISPONIBLE AU RAYON BD
5 AUTRES TOMES DE LA BD ÉGALEMENT DISPONIBLES EN LIBRAIRIES
BAMBOO
plus d'infos sur www.bamboo.fr

Table

PAPIER À BASE DE
FIBRES CERTIFIÉES

⊟hachette s'engage pour
l'environnement en réduisant
l'empreinte carbone de ses livres.
Celle de cet exemplaire est de :
400 g éq. CO_2
Rendez-vous sur
www.hachette-durable.fr

Photogravure **Nord Compo** - Villeneuve d'Ascq

Imprimé en Roumanie par G. Canale & C. S.A.
Dépôt légal : février 2012
Achevé d'imprimer : novembre 2012
20.2772.0/03 – ISBN 978-2-01-202772-5
Loi n° 49-956 du 16 juillet 1949
sur les publications destinées à la jeunesse